Liens Internet

Si tu as accès à Internet, ce livre te permettra de visiter les sites Web que nous recommandons. Chaque site conseillé fait l'objet d'une courte description, il suffit de chercher les encadrés « Liens Internet » qui se trouvent tout le long du livre. Lis les descriptions proposées avant de te connecter, elles te feront gagner du temps. Tu pourras ainsi, par exemple :
- regarder des clips vidéo d'un serpent en train de manger,
- voir « voler » des serpents,
- te documenter sur le cobra royal.

Tous les sites que nous recommandons ont été soigneusement sélectionnés par nos rédacteurs et conviennent aux enfants. Toutefois, les éditions Usborne ne peuvent être tenues responsables du contenu des sites Web autres que le nôtre. Nous recommandons aux adultes d'encadrer les jeunes enfants lorsqu'ils utilisent Internet et de leur interdire l'accès aux salles de conversation (chat rooms).

Le site Quicklinks d'Usborne

Afin d'accéder à tous les sites Web proposés, consulte notre site Quicklinks
www.usborne-quicklinks.com/fr
où tu trouveras un lien direct à chaque site.

La disponibilité des sites

Parfois, un message apparaît à l'écran t'indiquant que le site recherché n'est pas disponible pour l'instant. Il se peut que ce soit une inaccessibilité provisoire et il suffit de réessayer un peu plus tard.

Il arrive que certaines adresses de sites Web changent ou que les sites disparaissent. Les sites recommandés sur Quicklinks seront régulièrement revus et mis à jour. Si un site n'est plus accessible, nous le remplacerons, si possible, par un autre site.

> ## IL N'EST PAS OBLIGATOIRE D'AVOIR UN ORDINATEUR
> Tel quel, cet ouvrage de référence est complet et ne nécessite aucun auxiliaire.

Les images téléchargeables

Certaines images du livre (indiquées avec le symbole ★) peuvent être téléchargées à partir de notre site Quicklinks pour ton usage personnel. Tu peux les utiliser, par exemple, dans le cadre d'un projet scolaire. Attention, ces images ne doivent pas être utilisées dans un but commercial.

Ce dont tu as besoin

Il te suffit d'un ordinateur de base et d'un moteur de recherche (logiciel permettant aux internautes de trouver les sites créés sur le Web) pour accéder à la plupart des sites Web proposés par Usborne. Voici les quelques éléments indispensables :

- un PC équipé de Microsoft® Windows® 95, 98 ou Windows® Me, ou un ordinateur Macintosh PowerPC système 8 ou plus,
- 64 Mo de RAM,
- un navigateur de Web tel que Microsoft® Internet Explorer 4 ou Netscape® Navigator 4 ou toute version plus récente,
- une connexion à Internet via un modem (de préférence à la vitesse de 56 Kbps), une ligne numérique ou par câble,
- un fournisseur d'accès,
- une carte son pour écouter les fichiers son.

Les modules externes

Les programmes additionnels, appelés modules externes ou plug-in, te permettent de consulter des sites Web contenant du son, des vidéos ou des animations et images en 3D. Si tu accèdes à un site sans le module externe nécessaire, un message apparaît à l'écran t'indiquant comment le télécharger. Si cela n'est pas le cas, connecte-toi sur notre site Quicklinks et clique sur « Besoin d'aide ? ». Tu y trouveras des liens te permettant de télécharger tous les modules externes désirés. Voici une liste des modules les plus recherchés :

RealPlayer® — pour voir de la vidéo et écouter des séquences sonores,
Quicktime® — pour voir en vidéo,
Shockwave® — pour voir les animations et les programmes interactifs,
Flash™ — pour voir les animations.

Les serpents

Rachel Firth et Jonathan Sheikh-Miller

Maquette : Cristina Adami, Nickey Butler et Neil Francis

Illustrations : John Woodcock
Rédaction : Gillian Doherty

Experts-conseils : Chris Mattison et Kevin Buley

Directrice de la collection : Jane Chisholm
Maquette de la collection : Mary Cartwright
Montage photographique : Roger Bolton et John Russell

Pour l'édition française :
Traduction : Claire Lefebvre
Rédaction : Renée Chaspoul et Geraldine Sweeney

Sommaire

 Liens Internet

Tout le long de ce livre, des encadrés comme celui-ci décrivent des sites Internet auxquels tu pourras accéder à partir de notre site :
www.usborne-quicklinks.com/fr
pour approfondir tes recherches sur les serpents.

★ Ce symbole, à côté d'un dessin, signifie que tu peux télécharger l'image à partir de :
www.usborne-quicklinks.com/fr
Reporte-toi à la couverture intérieure et à la page 62 pour savoir comment procéder.

Ci-contre : vipère à cils
Première de couverture :
mamba vert d'Afrique de l'Ouest

Qu'est-ce qu'un serpent ? ....

Les serpents appartiennent à un groupe d'animaux appelé reptiles. Il en existe plus de 2500 espèces différentes. Avec leur corps long et mince, dépourvu de membres, ils sont très faciles à reconnaître.

Une grande famille

Le caméléon, un lézard, est aussi un cousin du serpent.

D'autres reptiles, tels que les crocodiles, les lézards et les tortues, sont aussi des proches parents des serpents. Les reptiles ont la peau écailleuse et le sang froid, ce qui signifie que leur température corporelle n'est pas constante. Pour se réchauffer ou se rafraîchir, ils recherchent l'ombre ou le soleil.

Où vivent les serpents ?

Les serpents vivent dans des endroits divers, ou habitats, au sol ou dans les arbres pour la plupart. Mais certains mènent une existence souterraine, tandis que d'autres, aquatiques, vivent dans les rivières ou la mer.

Cette couleuvre verte fréquente les endroits herbeux, mais grimpe aussi aux arbres et nage dans les cours d'eau.

Liens Internet

Tu pourras lire sur ce site des généralités au sujet des serpents. Une bonne introduction au monde de ces fascinants animaux.

Pour le lien vers ce site, connecte-toi à :
www.usborne-quicklinks.com/fr

Dans le monde entier

La vipère de Péringuey vit dans les dunes du désert du Namib (Afrique).

Les serpents sont largement répandus dans le monde, mais ils sont plus nombreux dans les régions tropicales. En effet, le climat chaud est idéal pour leur température corporelle. Toutefois, les serpents sont présents dans des endroits très divers – les déserts, les montagnes, et même au-delà du cercle polaire arctique.

Cette vipère verte des palmiers vit dans la forêt tropicale du Costa Rica.

Des serpents de toutes sortes

Bien que des serpents différents puissent avoir la même forme, ils ne se ressemblent pas. Certains peuvent atteindre plus de cinq fois la taille d'un homme adulte, tandis que d'autres ne sont guère plus grands qu'une main. Les motifs de leur peau sont très variés.

Les serpents sont-ils dangereux ?

Il existe de nombreuses sortes de serpents. La plupart sont inoffensifs pour l'homme. Quatre cents espèces environ ont une morsure venimeuse, et seul un petit nombre d'entre elles sont réellement dangereuses pour l'homme.

Cette vipère à cils a des écailles retroussées au-dessus des yeux, comme des sourcils.

Fait : bien que les serpents soient très répandus, il n'y en a aucun à l'état sauvage en Irlande ni en Nouvelle-Zélande.

Formes et squelettes de serpent

Bien que cela ne soit pas forcément évident au premier coup d'œil, il existe des différences importantes entre les formes des serpents. En observant la forme d'un serpent, tu peux souvent deviner dans quelle sorte d'habitat il vit.

Trois formes

Il existe trois principaux types de formes chez les serpents. Ceux qui sont cylindriques vivent souvent sous terre. Cette forme leur permet de creuser aisément le sol. Certains serpents à ventre aplati, forme qui favorise l'adhérence du corps sur les surfaces rugueuses telles que l'écorce, sont arboricoles. Les serpents efflanqués vivent également souvent dans les arbres. Cette forme leur donne la rigidité nécessaire pour glisser de branche en branche.

Voici, en coupe, les trois principales formes des serpents

Efflanquée

Cylindrique

À ventre aplati

Ce serpent-liane à long nez possède un corps long et mince qui lui permet de glisser sur les feuilles sans les ployer.

Trapus ou minces

De nombreux serpents minces et légers sont arboricoles. Grâce à leur légèreté, ils peuvent glisser le long des petites branches sans les briser. D'autres vivent dans la campagne. Très rapides, ils se nourrissent des proies qu'ils chassent dans les arbres.

Les serpents courts et trapus, comme les pythons et certaines vipères, sont souvent plus lents. Ils ne grimpent pas aux arbres et ne poursuivent pas leurs proies.

Changer de forme

Certains serpents peuvent changer temporairement de forme. Les vipères européennes, par exemple, peuvent s'aplatir. Au soleil, elles exposent ainsi une surface plus importante de leur corps et peuvent donc emmagasiner la chaleur plus rapidement.

 Liens Internet

Une rubrique qui complétera tes connaissances sur l'anatomie des serpents, en mettant l'accent sur les différences avec celle des autres vertébrés.

Pour le lien vers ce site, connecte-toi à :
www.usborne-quicklinks.com/fr

 Fait : beaucoup de serpents n'ont qu'un poumon efficace, le droit. Il n'y a pas assez de place dans leur corps pour que le gauche, atrophié, puisse fonctionner.

Des organes allongés

Malgré une certaine variété de formes, les serpents sont tous longs et fins comparés aux autres animaux. Leurs organes internes – cœur, estomac, poumons et reins – sont aussi longs et fins. Ils sont protégés par le squelette.

Voici l'anatomie interne d'un serpent

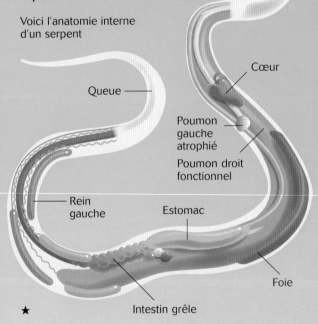

Queue

Cœur

Poumon gauche atrophié

Poumon droit fonctionnel

Rein gauche

Estomac

Foie

★

Intestin grêle

Le squelette

Le squelette du serpent se compose du crâne, de la colonne vertébrale et des côtes. La colonne vertébrale est formée d'une suite de petits os, les vertèbres, qui sont plus nombreuses que chez n'importe quel autre animal.

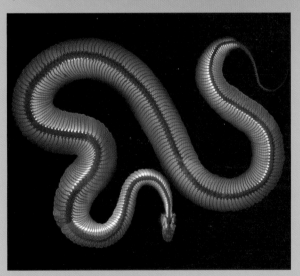

La zone sombre au milieu, tout le long du squelette du serpent, est sa colonne vertébrale.

Les côtes, des os courbes, sont attachées au cou et à la colonne vertébrale. Un serpent en a entre 150 et 450. Les côtes supportent l'importante musculature nécessaire pour qu'il puisse se déplacer et chasser.

Peau et écailles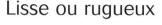

Tous les serpents ont la peau recouverte d'écailles. En fonction de leur position sur le serpent, celles-ci sont de formes et de tailles différentes.

Lisse ou rugueux

De nombreux serpents ont les écailles luisantes, ce qui donne l'impression qu'ils sont humides et visqueux. En fait, si tu touches un serpent, tu t'apercevras qu'il est sec et lisse. Mais tous ne sont pas lisses et luisants. Ainsi, la vipère heurtante a des écailles rugueuses, ou carénées, d'où son aspect terne et squameux.

Écailles de la tête

Écailles ventrales situées sur la face inférieure du serpent

Écailles dorsales formant des rangs sur le dos du serpent

Écailles subcaudales situées sous la queue

Les écailles de cette vipère heurtante sont rugueuses, ou carénées.

Ces écailles lisses sont les écailles dorsales d'un boa émeraude.

Celles-ci sont les écailles dorsales d'un serpent-ratier.

Écailles protectrices

Les écailles forment une armure protectrice autour du corps du serpent. Elles sont suffisamment résistantes pour le protéger des piqûres d'insectes et des morsures des animaux auxquels il s'attaque.

Cette vipère à cornes du désert a deux écailles redressées au-dessus de ses yeux qui servent à éviter que le sable ne les recouvre lorsqu'elle s'enterre.

Retenir l'eau

Si certains serpents prospèrent dans des régions très chaudes et sèches, où la plupart des êtres vivants ne peuvent survivre, c'est que leurs écailles retiennent l'humidité de leurs tissus. Sous la canicule, s'ils transpiraient comme les autres animaux, ils se dessècheraient et mourraient.

La mue

Lorsque les yeux d'un serpent deviennent opaques, tels ceux de ce serpent-ratier, c'est qu'il s'apprête à muer.

La croissance des serpents se poursuit tout le long de leur vie. Ils doivent donc changer de peau périodiquement. À chaque fois, ils se débarrassent de l'ancienne. Cela se fait en une seule fois. Un serpent qui vient de muer est facile à distinguer, car sa nouvelle peau est très luisante.

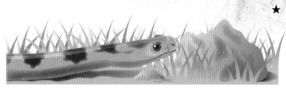

Liens Internet

Sur ce site en anglais, tu pourras admirer de superbes photos d'un serpent en train de muer.

Pour le lien vers ce site, connecte-toi à : **www.usborne-quicklinks.com/fr**

Un serpent qui s'apprête à muer frotte son museau contre une surface rugueuse pour déchirer sa vieille peau.

Puis il se tortille pour s'extraire de la peau. Au fur et à mesure, elle se retourne comme un gant.

Une fois l'ancienne peau détachée, le serpent s'éloigne en l'abandonnant.

 Fait : la couleuvre de Montpellier et certains serpents des sables « polissent » leurs écailles à l'aide d'une sécrétion nasale huileuse. Les spécialistes en ignorent la raison exacte.

La locomotion

On pourrait penser que sans pattes, les serpents auraient du mal à se mouvoir. En fait, ils rampent aisément en glissant sur leur ventre. Leurs modes de locomotion sont même étonnamment variés.

L'ondulation latérale

La plupart des serpents avancent en formant des courbes alternativement vers la droite et la gauche, et en prenant appui sur les irrégularités du terrain. Leur corps semble dessiner des S. On appelle ce mouvement l'ondulation latérale. C'est aussi comme cela que les serpents nagent.

★

Ces illustrations montrent comment le serpent pousse sur les pierres du sol pour favoriser sa progression.

★

Ce boa constricteur rampe le long d'une branche par ondulation latérale.

La progression rectiligne

Certains grands serpents semblent se déplacer sans effort en ligne droite. Ils y parviennent en contractant et en relâchant leurs muscles par vagues, d'avant en arrière. Leurs écailles s'accrochent aux aspérités et facilitent la reptation. On parle de « déplacement en chenille ».

Voici comment un serpent avance en ligne droite. Ce faisant, il peut relever la tête pour mieux voir.

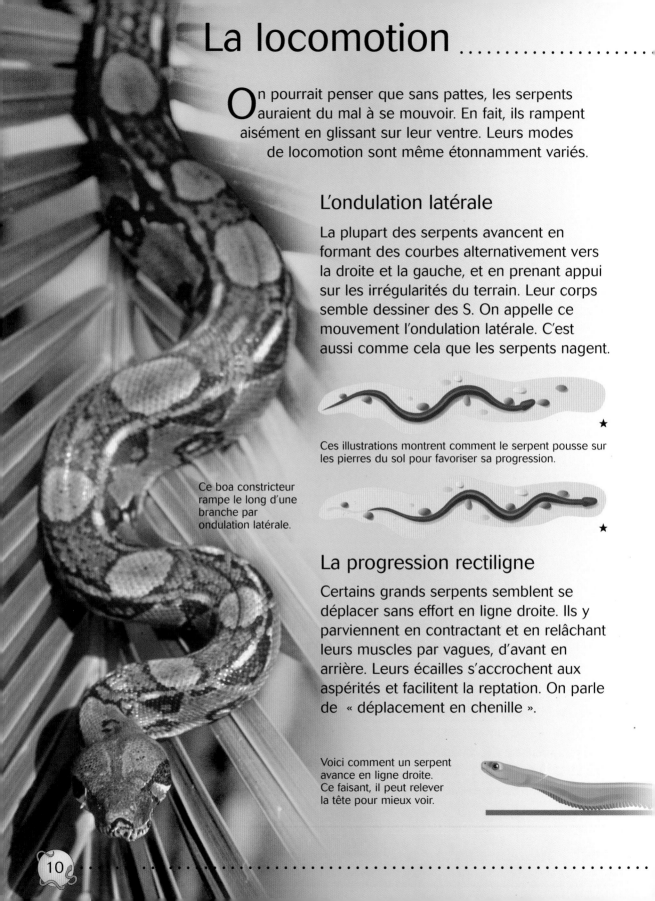

Se ramasser et se détendre

Dans un espace réduit, comme une galerie ou un terrier, le serpent avance en ramassant puis en détendant son corps. Lorsque la moitié de son corps est contractée, coincée entre les parois du trou, il peut alors projeter ou tirer l'autre moitié. On dit qu'il progresse en accordéon.

Le déroulement latéral

Pour les serpents, ramper sur un sol meuble qui offre peu d'aspérités, comme du sable, est difficile. Les serpents du désert ont une manière spectaculaire de s'y prendre. Ils forment un arc avec leur corps puis le détendent latéralement en même temps que leur tête. En répétant ce mouvement, ils peuvent avancer latéralement sur le sable. On parle de déroulement latéral.

Cette vipère africaine se déplace par déroulement latéral, laissant derrière elle des empreintes marquées.

Le serpent se ramasse de façon à être en contact avec les parois de la galerie. ★

Le serpent détend ensuite l'avant de son corps. ★

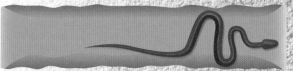

Puis il replie l'avant du corps pour pouvoir ramener l'arrière vers lui. ★

 Liens Internet

Clique sur le bouton vidéo clip de ce site en anglais pour voir une vipère à cornes serpenter dans le désert du Sahara.

Pour le lien vers ce site, connecte-toi à :
www.usborne-quicklinks.com/fr

 Fait : contrairement à la majorité des animaux, les serpents ne peuvent pas reculer. Ils n'ont d'autre solution que de se retourner.

11

Les sens des serpents

Pour traquer leurs proies et éviter d'être eux-mêmes la proie d'un prédateur, les serpents ont besoin de sens aiguisés. Outre la vue, le goût, le toucher et l'odorat dont ils bénéficient comme nous, ils sont également dotés d'étranges moyens de détecter les objets de leur environnement.

La vue

Nombreux sont les serpents dont la vue est mauvaise. Par exemple, ceux qui vivent dans des galeries souterraines possèdent des yeux très petits, tout juste capables de distinguer la lumière de l'obscurité. Mais d'autres voient bien mieux. Ils détectent très bien les mouvements, ce qui leur permet de chasser les animaux dont ils se nourrissent.

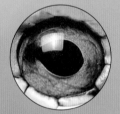

Le cercle noir au centre de l'œil de ce boomslang est la pupille. Les serpents aux pupilles larges et rondes ont généralement une bonne vue.

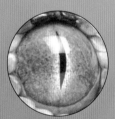

Les serpents dont les pupilles forment une fente, comme cette échide à ventre blanc, voient généralement mieux la nuit. Dans l'obscurité, les pupilles s'élargissent.

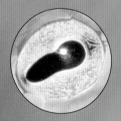

Voici l'œil d'une couleuvre verte et jaune. Les scientifiques ignorent si la pupille horizontale offre une meilleure vision.

La détection des odeurs

Les serpents peuvent sentir à l'aide de leurs narines, comme n'importe quel autre animal, mais ils possèdent aussi un organe spécial pour détecter les odeurs, l'organe de Jacobson, situé dans leur palais.

L'organe de Jacobson

Langue fourchue

★

Le serpent peut collecter les particules d'odeur microscopiques contenues dans l'air grâce à sa langue fourchue. En la ramenant vers l'organe de Jacobson, il peut identifier l'odeur. Ainsi, il est capable de détecter la présence d'un animal proche même s'il ne le voit pas.

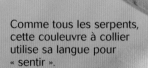

Comme tous les serpents, cette couleuvre à collier utilise sa langue pour « sentir ».

La détection des vibrations

Les serpents n'ont pas d'oreilles externes, comme les hommes, et sont incapables de percevoir la majorité des sons que nous entendons. En revanche, ils peuvent discerner les vibrations du sol engendrées par les animaux. Quand un serpent a la mâchoire inférieure en contact avec le sol, les vibrations se propagent à travers ses os jusqu'à ses oreilles.

Des fossettes thermosensibles

La vipère à fossettes et certaines espèces de boa et de python sont capables de détecter la chaleur d'une façon bien particulière. Ils possèdent le long de la gueule des fossettes thermosensibles. Les animaux à sang chaud dégagent de la chaleur. Si un animal approche d'un serpent, celui-ci détecte le changement de température grâce à ses fossettes.

Des sens mystérieux

Certains serpents ont des petits trous et des nodules sur certaines de leurs écailles. Les scientifiques ignorent leurs fonctions exactes. Certains pensent qu'ils sont sensibles à la lumière et permettent au serpent de savoir quelles parties de son corps sont exposées au jour ou dissimulées dans l'ombre.

Les trous le long de la gueule de ce python vert arboricole sont des fossettes thermosensibles qui lui permettent de localiser les animaux à sang chaud.

Le serpent ne voit pas le lapin immobile, dissimulé dans la végétation.

Mais il peut le localiser grâce à la chaleur qu'il rayonne.

Fait : les fossettes thermosensibles d'un serpent sont si sensibles qu'ils peuvent détecter un changement de température de 0,002 °C, et même moins.

Dents, crochets et mâchoires ......

Tous les serpents sont des prédateurs, c'est-à-dire qu'ils chassent des animaux pour se nourrir. Ils avalent leurs proies (les animaux qu'ils attrapent) entières, même si elles sont beaucoup plus grosses qu'eux. Leurs mâchoires et leurs dents sont adaptées à ce mode d'alimentation.

Des dents acérées

Certains serpents ont peu de dents alors que d'autres en ont beaucoup. Généralement très pointues et recourbées vers l'arrière, elles ne servent pas à mâcher ou déchirer des proies, mais à les agripper.

Ce serpent africain des maisons utilise ses dents pour pousser sa proie à l'intérieur de sa gueule.

Voici le crâne d'une vipère. Dans sa bouche, tu peux voir les dents recourbées vers l'arrière.

De redoutables crochets

Certains serpents sont équipés de deux longues dents acérées, les crochets. Ils s'en servent pour injecter du venin, un liquide toxique, dans le corps de leur proie, ou parfois dans celui d'un animal qui les menace. Mordu, l'animal meurt généralement.

Des os mobiles

Pour pouvoir avaler de grosses proies, les serpents n'ont pas seulement une peau extensible, mais aussi un crâne constitué d'os mobiles reliés par des ligaments. Ils peuvent ainsi ouvrir leur gueule démesurément pour y faire entrer leur proie.

 Liens Internet

Deux fiches complémentaires : l'une sur les crochets, l'autre sur la vipère heurtante.

Pour les liens vers ces sites, connecte-toi à : **www.usborne-quicklinks.com/fr**

Des crochets rétractables

Les dents des serpents s'agencent parfaitement à l'intérieur de leur gueule fermée, comme dans la bouche d'un homme. Mais certains, comme les vipères, ont des crochets très longs. Ils peuvent les rabattre en arrière, contre le palais, lorsqu'ils ne servent pas.

Cette vipère heurtante appartient à la famille des vipères (vipéridés). Elle peut rabattre ses crochets, car ils sont articulés à la base, comme des charnières.

Chez ce serpent, les crochets sont situés au fond de la gueule.

Les serpents à crochets arrière

Chez la plupart des serpents, les crochets sont situés à l'avant de la gueule, mais certains les ont dans le fond. Pour injecter leur venin, ils doivent donc ouvrir largement la bouche. Lorsque la proie d'un tel serpent se débat, il doit la mordre plusieurs fois jusqu'à ce qu'elle meure, et donne ainsi l'impression qu'il la mâche.

Fait : après avoir avalé une proie, le serpent semble bâiller. En fait, il replace les os de son crâne, qui s'étaient écartés, en position normale.

Les modes de chasse

De nombreux prédateurs chassent en poursuivant leur proie, ce qui nécessite une grosse dépense d'énergie. Pour économiser la leur, la plupart des serpents s'embusquent dans l'attente d'une victime. Certains mangent aussi des animaux morts, ceux tués sur les routes par exemple.

L'embuscade

Habituellement, les serpents font le guet, immobiles, dans les lieux fréquentés par leurs proies. Ils les localisent par l'odeur que les animaux laissent derrière eux. Le serpent peut parfois attendre plusieurs jours avant qu'un animal passe à sa portée.

L'attaque mortelle

Lorsque finalement un animal se trouve suffisamment près d'un serpent à l'affût, celui-ci se jette dessus et le saisit dans sa gueule. On dit qu'il frappe.

Le serpent repère une proie et se ramasse lentement sur lui-même.

Soudain, il projette sa tête vers la proie et la saisit dans sa gueule.

Cette vipère à cils se tapit d'abord sans bouger et attend que sa proie, un minuscule colibri, s'approche. Puis, lorsqu'il est à sa portée, elle frappe soudainement. Cette fois, elle n'a pas été assez rapide et l'oiseau s'échappe.

Pourchasser une proie

Quelques petits serpents rapides chassent leurs proies. Le serpent-perroquet traque les grenouilles arboricoles dans la forêt, se fiant à sa bonne vue plutôt qu'à son odorat pour les repérer.

Suivre une proie ne signifie pas toujours être rapide. Par exemple, certains serpents se nourrissent d'escargots qu'ils dénichent en suivant leur trace visqueuse.

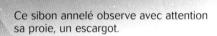

Ce sibon annelé observe avec attention sa proie, un escargot.

Des queues appétissantes

Certains serpents appâtent leurs proies. Le jeune mocassin à tête cuivrée a le corps orné d'un motif brun, mais le bout de sa queue est jaune. Lorsqu'il l'agite, elle ressemble à une chenille. Grenouilles et lézards s'approchent, dans l'espoir d'un repas, mais c'est eux qui se font alors dévorer.

Cet escargot ne se déplace pas vite. C'est une proie facile pour le sibon annelé.

La grenouille ne réalise pas qu'elle est proche du serpent, car celui-ci demeure immobile jusqu'à ce qu'elle soit à sa portée.

Liens Internet

Sur ce site, tu trouveras des clips vidéo de serpents qui prennent leur repas. (Attention, pas pour les âmes sensibles...)

Pour le lien vers ce site, connecte-toi à :
www.usborne-quicklinks.com/fr

 Fait : les serpents chassent et dévorent une grande variété d'animaux - rongeurs, oiseaux et même crocodiles. Certains mangent d'autres serpents.

 17

Morsures mortelles

Environ un sixième des espèces de serpents tue ses proies par morsure en leur injectant du venin. Menacés, ces serpents peuvent aussi attaquer d'autres animaux pour se défendre. C'est en général pour cette raison que les gens sont mordus.

Le venin du boomslang est capable de tuer un homme.

Le bothrops à groin, une vipère, se nourrit de rongeurs et de grenouilles, mais peut être dangereux pour l'homme s'il se sent menacé.

Un venin fatal

Le venin d'un serpent contient généralement un ou deux types de poisons. L'un provoque la paralysie, ou rend l'animal incapable de fuir. La mort survient alors par arrêt cardiaque. L'autre détruit les tissus internes de la proie.

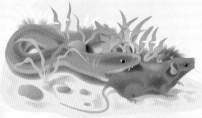

Même si cette souris parvient à s'échapper après avoir été mordue, elle mourra parce que le serpent lui a injecté du venin.

De puissants poisons

La toxicité du venin varie d'une espèce à l'autre. Les serpents qui se nourrissent d'animaux rapides ont en général un venin plus puissant, qui tue la proie plus rapidement. Si un animal vif reçoit un venin plus faible, il réussira peut-être à s'échapper hors de portée du serpent avant de mourir.

Une frappe éclair

Pour que la proie ne puisse se défendre ou s'échapper, il faut que le serpent frappe rapidement. L'animal peut ne pas se rendre compte de la présence du serpent jusqu'à ce qu'il soit mordu. Avant de manger sa proie, le serpent s'assure qu'elle est tout à fait morte. Il attend un moment que le venin agisse, puis la palpe avec sa langue.

Après s'être assuré que le serpent à tête noire est bien mort, le serpent corail (celui dont la livrée est rayée) commence à l'avaler.

Avaler la nourriture

Le serpent avale sa proie en bougeant tour à tour chaque côté de sa mâchoire pour faire glisser l'animal dans sa gorge. Il agrippe son corps avec ses dents. Une fois dans sa gorge, des muscles puissants le font descendre dans l'estomac.

Une digestion lente

Aussitôt après la morsure, le venin commence à décomposer l'animal de l'intérieur. Les sucs digestifs de l'estomac du serpent accélèrent le processus. Une grosse proie peut nécessiter plusieurs jours de digestion.

Le serpent maintient la grenouille dans sa gueule et commence à l'avaler, la tête d'abord.

La grenouille est dans l'estomac du serpent. Le renflement sur son corps est bien visible.

Tu vois que la grenouille a maintenant été presque entièrement digérée.

Vrai : le venin d'un serpent est plus efficace sur ses proies habituelles. Les autres animaux en sont généralement moins affectés.

Les constricteurs

Tous les serpents ne tuent pas leurs proies en leur injectant du venin. Certains le font en les enserrant dans leurs anneaux jusqu'à suffocation ; ce sont les constricteurs.

Cet anaconda géant est en train d'étouffer un caïman (reptile proche de l'alligator).

Des anneaux mortels

Un constricteur tue sa proie en s'enroulant autour d'elle. Les poumons de l'animal, comprimés, ne peuvent plus se remplir d'air. Celui-ci meurt étouffé faute de pouvoir respirer. C'est ce qu'on appelle la suffocation. Parfois, la pression du corps du serpent provoque l'arrêt du cœur de l'animal avant qu'il ne suffoque.

Dans le bon sens

Étouffé par un serpent, un gros animal, comme un crocodile, met plusieurs minutes à succomber. Lorsqu'il est mort, le serpent entreprend de l'avaler en commençant par la tête. S'il s'y prenait par la queue, les pattes de la proie bloqueraient sa progression dans la gorge, rendant le processus plus difficile.

Après avoir étouffé sa proie, le serpent demeure étroitement enroulé autour.

Puis, avec ses anneaux, il commence à pousser l'animal la tête la première vers sa gueule.

La proie est pratiquement avalée en entier, et le serpent peut desserrer son étreinte.

Fait : lorsqu'un serpent constricteur avale une très grosse proie, ses côtes s'écartent pour lui permettre le passage.

Des pythons pousseurs

Certains constricteurs, comme le python woma australien, chassent les animaux fouisseurs et les suivent dans leur terrier. Mais ce dernier est souvent trop étroit pour que le serpent puisse s'enrouler autour de sa proie. Il la comprime alors contre la paroi jusqu'à ce qu'elle ne puisse plus respirer.

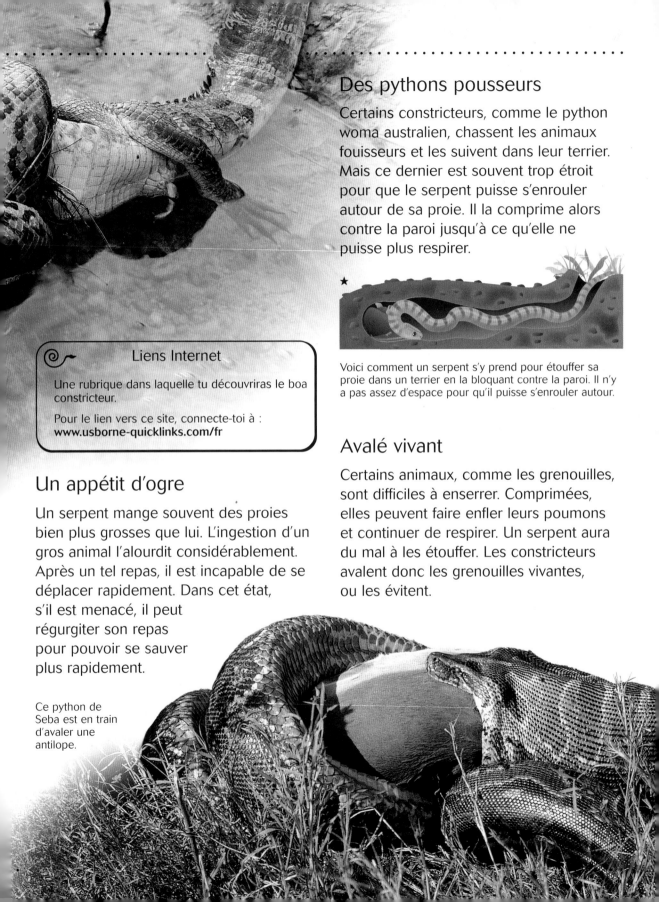

★ Voici comment un serpent s'y prend pour étouffer sa proie dans un terrier en la bloquant contre la paroi. Il n'y a pas assez d'espace pour qu'il puisse s'enrouler autour.

Liens Internet

Une rubrique dans laquelle tu découvriras le boa constricteur.

Pour le lien vers ce site, connecte-toi à :
www.usborne-quicklinks.com/fr

Un appétit d'ogre

Un serpent mange souvent des proies bien plus grosses que lui. L'ingestion d'un gros animal l'alourdit considérablement. Après un tel repas, il est incapable de se déplacer rapidement. Dans cet état, s'il est menacé, il peut régurgiter son repas pour pouvoir se sauver plus rapidement.

Ce python de Seba est en train d'avaler une antilope.

Avalé vivant

Certains animaux, comme les grenouilles, sont difficiles à enserrer. Comprimées, elles peuvent faire enfler leurs poumons et continuer de respirer. Un serpent aura du mal à les étouffer. Les constricteurs avalent donc les grenouilles vivantes, ou les évitent.

Camouflage et mise en garde ......

Certains serpents sont difficiles à repérer, car les dessins de leur peau leur permettent de se fondre dans leur environnement. On appelle cela le camouflage. D'autres serpents ont une livrée vivement colorée et sont faciles à voir. Les deux types de peau ont pour fonction de leur éviter les attaques des prédateurs.

Attention où tu marches !

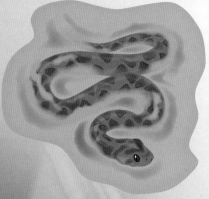

Sur cette illustration, cette échide carénée partiellement enfouie dans le sable est très difficile à voir.

En Afrique et en Asie, les échides carénées tuent de nombreuses personnes. Camouflées dans leur habitat rocailleux et sec, elles passent inaperçues. Il arrive donc que des gens marchent dessus par mégarde et se fassent mordre. Elles peuvent aussi s'enterrer en se tortillant, et deviennent invisibles.

Dans les arbres

C'est grâce à leur livrée verte que de nombreux serpents arboricoles, comme la vipère des palmiers et le crotale des bambous à lèvres blanches, se dissimulent dans les feuilles.

Le serpent-liane vit également dans les arbres, mais il est différent des autres serpents arboricoles. Brun et grêle, il ressemble à une branche ou à une liane. Immobile, il est très difficile à repérer.

Ce serpent-liane peut aisément disparaître dans les branches d'un arbre.

 Fait : certains serpents naissent totalement blancs. Ils sont albinos. Ayant du mal à se dissimuler, ils deviennent des proies faciles.

Mise en garde

Certains serpents venimeux arborent une livrée éclatante, ce qui les rend très voyants. C'est un avertissement pour les prédateurs qui se risqueraient à les attaquer. Par exemple, les serpents corail, vivement colorés, sont très venimeux.

Le serpent corail d'Asie exhibe une livrée vivement colorée, ce qui indique aux prédateurs qu'il est très venimeux.

Des imitateurs

Certains serpents inoffensifs ont aussi une peau aux motifs colorés. Ainsi, les prédateurs les confondent avec des espèces venimeuses et les évitent. En Amérique, les dessins de la peau du serpent du lait, inoffensif, ressemblent étrangement à ceux du serpent corail, très venimeux.

Il n'est pas facile de dire lequel de ces deux serpents est le serpent venimeux.

Serpent corail

Serpent du lait

Le serpent à deux faces

Menacé, ce serpent à collier d'Amérique est capable de changer son apparence très vite.

★

Si un serpent à collier est détendu, on ne voit que sa face dorsale, qui est brun foncé ou noire.

★

Mais sa queue est rouge orangé et s'il se sent en danger, il l'enroule et la montre.

★

Sa face ventrale est également de couleur vive. Si le danger persiste, il l'exhibe en se retournant.

L'art de survivre

Généralement, les serpents sont timides et s'efforcent d'éviter les ennuis en se cachant ou en fuyant. Mais si un prédateur s'intéresse à eux de trop près, ils peuvent avoir recours à des tactiques de défense spectaculaires.

Face à face risqué

Menacés, les cobras redressent la partie antérieure de leur corps et déploient leur « coiffe », une membrane de peau qu'ils tendent grâce aux côtes flexibles de leur cou. Ainsi coiffés, ils semblent plus gros et plus dangereux.

En temps normal, le cobra se tient sur le sol, sa coiffe rétractée.

★

★

Lorsqu'il sent un danger, il se redresse et commence à déployer sa coiffe.

Si le danger persiste, il se dresse plus haut et déploie sa coiffe entièrement en signe d'agressivité.

★

Ce cobra indien s'est redressé et a déployé sa coiffe pour paraître plus impressionnant.

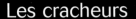

Les cracheurs

Lorsqu'ils sont menacés, certains cobras peuvent projeter du venin à travers de petits trous de leurs crochets. Les jets peuvent atteindre un prédateur à 3 m de distance.

Avant de cracher, le cobra se redresse et vise les yeux de l'attaquant. Si le venin atteint sa cible, il provoque une grande douleur et peut endommager gravement sa vue.

Ce cobra cracheur du Mozambique se défend contre un prédateur en crachant du venin.

Une sonnette d'alarme

Les crotales sont aussi appelés serpents à sonnette à cause du bout de leur queue formé d'écailles mortes. Une écaille vient s'ajouter à chaque mue.

Lorsque le crotale vibre de la queue, les écailles mortes frottent les unes contre les autres et font un bruit de crécelle, dont le serpent se sert pour garder les autres animaux à distance.

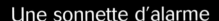

La sonnette du crotale est fragile et se brise facilement, mais à chaque mue, une nouvelle écaille s'y ajoute.

Faire le mort

Cette couleuvre à collier semble morte. En fait, ce n'est qu'une ruse pour tromper un prédateur.

En présence d'un prédateur, certains serpents, comme la couleuvre à collier, se retournent, tirent la langue et font semblant d'être morts. Ils espèrent ainsi que l'attaquant les ignorera et s'éloignera.

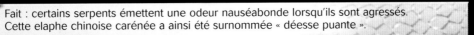

Fait : certains serpents émettent une odeur nauséabonde lorsqu'ils sont agressés. Cette elaphe chinoise carénée a ainsi été surnommée « déesse puante ».

25

La reproduction

Les serpents sont généralement solitaires, mais ils se rassemblent à la saison des amours pour se reproduire. Hormis le serpent minute, ou typhlops commun, qui peut se reproduire sans fertilisation, tous les serpents s'accouplent.

Ces deux coronelles lisses sont en train de s'accoupler.

Trouver un partenaire

Pour se reproduire, le serpent doit d'abord trouver un partenaire (un serpent du sexe opposé). Habituellement, c'est le mâle qui part à la recherche d'une femelle. Lorsqu'une femelle est prête à s'accoupler, elle émet une puissante odeur pour attirer un mâle.

L'accouplement

Pour qu'un petit serpent puisse être conçu, il faut qu'une gamète de la femelle (ovule) rencontre une gamète du mâle (spermatozoïde). En s'enroulant autour de la femelle, le mâle peut introduire son sperme dans le corps de la femelle pour que les cellules sexuelles puissent se rencontrer. Leurs ébats amoureux peuvent durer des heures.

Fait : les femelles de certains serpents peuvent conserver du sperme dans leur corps pendant plusieurs années et avoir des petits sans s'accoupler à nouveau.

Des pythons décorés

Le python réticulé est le plus long serpent du monde. Il peut atteindre 9 m. Le terme réticulé provient du motif en forme de réseau de sa peau. Les pythons réticulés se nourrissent généralement d'animaux de petite taille ou de taille moyenne – singes ou petits cervidés – mais il arrive, en de rares occasions, qu'ils tuent et dévorent un homme.

Des rats au menu

Le python molure de Birmanie est le troisième par la longueur. Il peut atteindre 6 m. C'est un serpent utile, car il se nourrit surtout de rats et autres rongeurs, mais il ne dédaigne pas les poulets, ce qui le rend impopulaire auprès des fermiers.

Liens Internet

Sur ce site, tu pourras admirer de superbes photos de serpents.

Pour le lien vers ce site, connecte-toi à :
www.usborne-quicklinks.com/fr

Avec sa livrée bariolée, ce jeune python réticulé est très difficile à repérer lorsqu'il se tient immobile parmi les feuilles mortes sur le sol forestier.

Boas et pythons

Les boas et les pythons sont de proches parents. Ils appartiennent à l'ancienne famille des boïdés. On connaît vingt-sept espèces de pythons et trente-cinq de boas. Toutes sont des constricteurs.

Ce boa constricteur a un corps épais et musclé, parfaitement adapté aux acrobaties dans les branches des arbres.

Le boa constricteur

Le boa constricteur est sans doute le plus connu des serpents. Il peut atteindre 3 m de long et a longtemps inspiré la crainte, bien qu'il ne s'attaque jamais à l'homme. Il ne pourrait d'ailleurs pas manger une proie aussi grosse. Son menu se compose surtout d'oiseaux et d'autres petits animaux.

Le python-tapis

Les pythons-tapis habitent l'Australie, dans des endroits divers allant des déserts aux forêts tropicales humides. On les appelle pythons-tapis à cause des dessins étonnants de leur peau, qui évoquent ceux d'un tapis d'Orient.

Les motifs de la livrée de ce python-tapis le dissimulent aisément aux yeux des prédateurs.

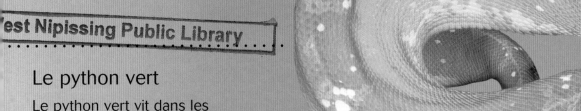

Le python vert

Le python vert vit dans les forêts pluviales. L'adulte arbore une livrée d'un magnifique vert vif ornée de taches irrégulières blanches et jaunes le long du dos. Ce motif ressemble à celui du soleil à travers le feuillage.

Les pythons verts, comme celui-ci, dorment dans les arbres le jour et chassent la nuit.

Verdir avec l'âge

Lorsqu'ils éclosent, les pythons verts sont jaune citron ou, plus rarement, rouges. Ils deviennent verts au bout d'un an environ. La raison de ce changement de couleur reste mystérieuse.

Liens Internet

Une rubrique sur les boas et les pythons, et un site en anglais où tu pourras regarder des photos de quelques boas.

Pour les liens vers ces sites, connecte-toi à : **www.usborne-quicklinks.com/fr**

Ce bébé boa arc-en-ciel a les écailles lisses et luisantes, qui chatoient quand il se déplace.

Le boa arc-en-ciel

Le boa arc-en-ciel est remarquable par ses écailles irisées. Il vit dans les forêts pluviales et chasse surtout la nuit, chauves-souris, rongeurs et autres petits animaux.

Les colubridés

La famille des colubridés rassemble un grand nombre d'espèces, environ la moitié des serpents connus. La plupart sont inoffensives, mais quelques-unes sont venimeuses et ont tué quelques personnes.

Le boomslang

Tous les serpents qui ont des crochets à l'arrière de la gueule appartiennent à la famille des colubridés. La majorité ne représente pas une menace pour l'homme, hormis le boomslang. Son venin est très puissant, et ses crochets sont situés suffisamment près de l'ouverture de sa gueule pour mordre un homme.

Bien qu'il puisse être dangereux, le boomslang n'est en général pas agressif. S'il est en colère ou effrayé, il gonfle sa gorge.

Le boomslang se déplace avec grâce. Il possède de grands yeux ronds et un museau pointu.

Des serpents volants

Les cinq espèces de serpents volants sont des colubridés. Ces serpents ne volent pas réellement, mais, dans leur habitat de forêt tropicale humide, ils peuvent planer de façon spectaculaire d'arbre en arbre.

Ils se jettent dans le vide en formant un S avec leur corps. Pour planer plus facilement, ils étalent leurs côtes de façon à être plus plats et plus larges.

Liens Internet

Un site en anglais avec des clips vidéo pour voir voler des serpents et un autre où tu peux retrouver les serpents de France.

Pour les liens vers ces sites, connecte-toi à : **www.usborne-quicklinks.com/fr**

Cette illustration montre un serpent volant qui forme un S avec son corps pour se jeter dans le vide.

Mangeur d'œuf

Les serpents mangeurs d'œufs ont une préférence… pour les œufs ! Bien que très minces, ils peuvent facilement avaler un œuf qui fait plus de trois fois la taille de leur tête.

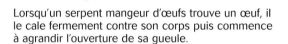

★

Lorsqu'un serpent mangeur d'œufs trouve un œuf, il le cale fermement contre son corps puis commence à agrandir l'ouverture de sa gueule.

★

Une fois qu'il est parvenu à faire rentrer l'œuf dans sa gueule, il se sert des épines pointues de sa gorge pour le percer et l'écraser.

★

Lorsque l'œuf a été vidé de sa substance, le serpent recrache la coquille écrasée et aplatie.

Ce serpent à la bouche pleine est pris en flagrant délit de pillage d'un nid. Un serpent mangeur d'œufs se nourrit de toutes sortes d'œufs d'oiseaux.

Du crotale au menu

Bien que les crotales soient venimeux, ils constituent des proies faciles pour certains serpents-rois. En effet, ceux-ci sont peu affectés par leur venin. Les serpents-rois peuvent venir à bout des serpents à sonnette et les avaler encore vivants.

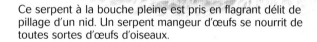

Ce serpent-roi de Californie est en train de commencer à dévorer le crotale qu'il a vaincu.

Les cobras

Les cobras ont un aspect très particulier. Un cobra sur la défensive, avec sa coiffe déployée de part et d'autre de son cou, est un spectacle très impressionnant. Il existe de nombreuses espèces de cobras. Parmi elles, on trouve le plus long serpent venimeux du monde, le cobra royal.

Le roi des serpents

La tête du cobra royal est de la taille d'une main d'homme et son corps peut atteindre une impressionnante longueur… 6 m ! Un cobra royal inquiété, lorsqu'il se dresse, peut regarder un homme dans les yeux.

Liens Internet

Le site en anglais du National Geographic t'offre un face à face impressionnant avec le cobra royal, en cliquant sur les différentes parties de son corps.

Pour le lien vers ce site, connecte-toi à :
www.usborne-quicklinks.com/fr

Un bâtisseur de nid

Le cobra royal est le seul serpent à construire un nid pour protéger ses œufs. Après la ponte, la femelle garde ses œufs jusqu'à l'éclosion, 60 à 80 jours plus tard. Ce serpent n'est pas agressif, mais peut attaquer s'il pense que son nid est menacé.

Le cobra royal est un serpent plutôt mince, doté d'une coiffe plus étroite que la plupart des autres cobras.

La femelle construit un nid sur un tas de feuilles rassemblées à l'aide de ses anneaux.

Une fois le nid terminé, elle y pond ses œufs et se love par-dessus.

Un mangeur de tisserins

Les tisserins bâtissent leurs nids en hauteur dans les arbres, à l'abri des prédateurs, entre autres, les serpents. Mais ils ne peuvent rien contre le cobra du Cap d'Afrique du Sud, qui grimpe dans les plus hautes branches et pénètre dans les nids pour se régaler des oisillons et des œufs.

Le tisserin construit un nid doté d'une longue entrée verticale pour empêcher les serpents d'y pénétrer.

Tête à queue

Lorsqu'ils sont dérangés, les cobras se dressent et exhibent leur coiffe. Au dos de ces coiffes, beaucoup ont des ocelles, marques semblables à des yeux. On pense que leur fonction est de dérouter les prédateurs. Le cobra peut ainsi se retourner et commencer à s'enfuir tout en semblant toujours faire face à son agresseur.

Le cobra indien est connu sous le nom de serpent à lunettes à cause de la forme particulière de ses ocelles.

Fait : il y a suffisamment de venin dans la morsure d'un cobra royal pour tuer un éléphant.

Les serpents marins

Nombre de serpents sont de bons nageurs. Ils vont dans l'eau pour fuir un prédateur ou pour se rafraîchir lorsqu'il fait chaud. Certains, toutefois, passent leur vie entière dans l'eau. Il y en a qui vivent dans les rivières et les lacs, mais la plupart sont des serpents marins.

Une mue chiffonnée

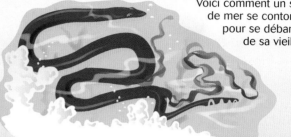

Voici comment un serpent de mer se contorsionne pour se débarrasser de sa vieille peau.

Les serpents marins muent plus souvent que les serpents terrestres. Certains, comme la pélamide à ventre jaune, frottent l'une contre l'autre deux parties de leur corps pour détacher leur vieille peau. Cela leur donne l'air de contorsionnistes et les mues sont souvent fripées.

L'air indispensable

Les serpents marins, qui ne peuvent généralement pas se déplacer sur terre, doivent passer leur existence dans l'eau. Rejetés sur le rivage, ils mourraient. Cependant, ils ne respirent pas sous l'eau comme les poissons et doivent faire surface de temps en temps pour prendre leur respiration.

Leurs poumons remplis, les serpents marins peuvent rester sous l'eau au moins une heure. La pélamide à ventre jaune peut même rester immergée plus de trois heures.

Milieu salé

Tous les animaux doivent boire de l'eau pour survivre. Mais l'eau de mer est très salée, et c'est la seule dont disposent les serpents marins.

Les serpents marins se débarrassent du sel en excédant grâce à une glande spéciale placée sous leur langue. Le sel se concentre dans cette glande jusqu'à ce que le serpent tire la langue pour sentir. Le liquide salé est alors excrété.

Liens Internet

Une fiche pour en savoir plus sur le comportement agressif des serpents de mer.

Pour le lien vers ce site, connecte-toi à :
www.usborne-quicklinks.com/fr

Ces serpents marins nagent en groupe à la recherche de nourriture.

Des serpents migrateurs

Certains serpents marins parcourent de longs trajets en larges groupes, c'est la migration. Dans beaucoup de pays, des légendes parlent de monstres marins. Les témoins de tels phénomènes n'ont peut-être vu que des centaines de serpents qui se déplaçaient ensemble, et qui peuvent ressembler à un seul monstrueux animal.

Des serpents mortels

Les serpents marins sont parmi les plus venimeux du monde. On pense que l'hydrophis de Belcher possède le venin le plus virulent. Il est environ cent fois plus toxique que celui de la plupart des serpents terrestres.

Autrefois, les gens croyaient qu'il existait d'énormes monstres marins comme celui-ci.

Entre terre et eau

Les laticaudes, ou tricots-rayés, sont des cousins éloignés des serpents marins. Ils vivent aussi dans la mer, mais peuvent sortir sur la terre ferme, ce qu'ils font pour s'accoupler et pondre. Ils rampent aussi sur les plages pour se chauffer au soleil. La chaleur du soleil active leur digestion.

Le laticaude n'est pas aussi bien adapté à la vie marine que les autres serpents marins. Contrairement aux autres, il peut se déplacer sur terre aussi bien que dans l'eau.

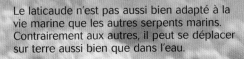

Fait : les véritables serpents marins donnent naissance à des bébés tout constitués en pleine mer.

Les mambas

Les mambas appartiennent à la même famille que les cobras, les élapidés. Il n'existe que quatre espèces de mambas, toutes africaines. Elles sont redoutées et respectées par les hommes, car leurs morsures sont très venimeuses.

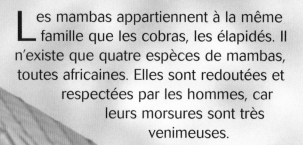

Les mambas verts sont des serpents magnifiques, à la livrée vert vif.

Une vie communautaire

Un seul arbre peut fort bien être habité par plusieurs mambas verts.

Les mambas verts sont très nombreux dans certaines régions du Kenya et de la Tanzanie. Ils peuvent être plusieurs centaines dans un espace de la taille d'un grand jardin public. Un gros arbre peut en abriter quatre ou cinq.

Les mambas verts

Il existe trois espèces de mambas verts. Ces serpents passent le plus clair de leur temps dans les forêts, où leur livrée verte leur sert de camouflage. Bien que très venimeux et responsables d'accidents mortels chez l'homme, ils ne sont pas agressifs et préfèrent se sauver plutôt que d'attaquer.

Fait : sans un traitement médical, la morsure d'un mamba peut entraîner la mort en quelques heures, voire en quelques minutes.

Un bolide

Le mamba noir est le plus rapide de tous les serpents. Sa vitesse avoisine les 20 km/h, voire davantage lorsqu'il lance une attaque. Même en se déplaçant rapidement, il peut garder la tête au-dessus du sol, prêt à frapper brutalement.

Pas si noir que ça

Le mamba noir, qui n'est presque jamais noir mais habituellement brun chocolat clair, tient son nom de l'intérieur entièrement noir de sa gueule. Atteignant 4 m, c'est le plus long serpent venimeux d'Afrique. Nerveux, il est craint car il attaque lorsqu'il se sent menacé.

Bien qu'il passe le plus clair de son temps au sol, le mamba noir peut parfaitement grimper aux arbres.

On est bien chez soi

Le mamba noir revient habituellement se mettre à l'abri dans le même endroit. Il choisit généralement un trou dans un arbre, une fente rocheuse, ou même le toit de chaume d'une maison.

Les vipéridés

Il existe plus de 200 espèces de vipéridés de par le monde. La plupart ont un camouflage très efficace, et certaines sont extrêmement venimeuses.

Un serpent cosmopolite

La vipère péliade s'accommode d'un grand nombre d'habitats. On la rencontre de l'Europe occidentale à la Russie. C'est le seul serpent que l'on trouve au-delà du cercle polaire arctique et également l'unique venimeux en Grande-Bretagne.

La vipère péliade, comme celle-ci, supporte les climats froids, ce qui lui permet de peupler des zones où d'autres serpents ne peuvent survivre.

L'hiver au chaud

Les mois d'hiver, les vipères péliade hibernent pour éviter le froid. Elles se regroupent parfois dans un abri souterrain, par exemple un terrier ou une tanière.

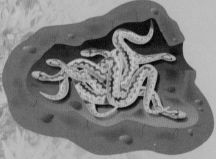

Voici un groupe de vipères péliade qui ont hiberné dans une tanière.

Un serpent gonflant

La vipère heurtante a une curieuse habitude. En effet, lorsqu'elle est dérangée, elle se gonfle et aspire rapidement de l'air pour se faire plus grosse et plus impressionnante. En soufflant, elle émet un sifflement bruyant également destiné à avertir les prédateurs.

La vipère heurtante a le corps lourd et trapu, et la tête large et plate.

Menacée, elle se gonfle d'air et devient encore plus grosse.

Liens Internet

Tu vas pouvoir te documenter sur les vipéridés, et plus particulièrement sur les espèces européennes.

Pour le lien vers ce site, connecte-toi à :
www.usborne-quicklinks.com/fr

Un motif de camouflage

Avec sa livrée aux dessins bruns, beiges, blancs et noirs, la vipère du Gabon est très particulière. Ces motifs lui permettent de se fondre sur le sol des forêts tropicales où elle vit. Elle se dissimule si bien que même les proies alertes, comme les singes, viennent à sa portée.

Cette vipère du Gabon est partiellement dissimulée dans un tas de feuilles mortes.

Les vipères à fossettes

Membres de la famille des vipéridés, les vipères à fossettes ont néanmoins un point commun avec les boas et les pythons : des fossettes thermosensibles sur la tête, d'où leur nom.

Le mocassin d'eau

Le mocassin d'eau est un serpent agressif et dangereux qui habite les régions marécageuses du sud-est des États-Unis. Il est également surnommé « bouche-de-coton », à cause de l'intérieur de sa bouche, qui évoque du coton blanc. Il est facilement irritable, heureusement, il avertit avant de frapper.

Des fossettes thermosensibles

Voici l'emplacement des fossettes thermosensibles sur la tête d'une vipère des palmiers

Alors que boas et pythons disposent de nombreuses fossettes thermosensibles, les vipères à fossettes n'en ont que deux, disposées de chaque côté de la tête, entre les yeux et les narines. Ces capteurs aident les vipères à localiser leurs proies de nuit.

Ce mocassin d'eau en colère tente de décourager un agresseur potentiel.

Pour effrayer un prédateur, le mocassin d'eau ouvre grande la gueule et exhibe la peau blanche de l'intérieur.

Il vibre également de la queue avec violence et, si le prédateur ne renonce pas, attaque.

Ce fer-de-lance vient d'attraper un lézard et lui injecte du venin.

Le tueur d'Amérique du Sud

Les fers-de-lances doivent leur nom à leur tête pointue et triangulaire, qui ressemble à la pointe d'une lance ou d'une sagaie.

Le fer-de-lance vit en Amérique du Sud dans les plantations de café et de bananes, où il est redouté des ouvriers qui y travaillent. Il y chasse en effet des rats et des souris, mais il mord occasionnellement les hommes qui se trouvent sur son chemin.

Tambouriner de la queue

Le maître de la brousse, ou surucucu, est un grand serpent venimeux des forêts pluviales d'Amérique centrale et du Sud. Pour effrayer ses prédateurs, il tambourine du bout de la queue sur les feuilles mortes du sol forestier. Alertés par ce bruit, les animaux passent leur chemin.

Un maître de la brousse lové sur le sol forestier

 Liens Internet

Tu trouveras sur ce site en anglais des photos d'un fer-de-lance et d'un maître de la brousse (bushmaster), ainsi que d'autres serpents. Appuie sur Choose A Reptile.

Pour le lien vers ce site, connecte-toi à :
www.usborne-quicklinks.com/fr

 Fait : le mocassin de l'Himalaya vit à 5 000 m d'altitude, dans les montagnes de l'Himalaya, en Asie, plus haut que n'importe quel autre serpent.

Les crotales ....

Les crotales, qui appartiennent à la famille des vipéridés, sont parmi les espèces de serpents les mieux connues. On ne les trouve que sur le continent américain. Tous les crotales sont venimeux et quelques-uns sont potentiellement mortels pour l'homme.

Le crotale sans sonnette n'a qu'une vieille écaille au bout de la queue au lieu d'une sonnette.

Une sonnette d'alarme

Lorsqu'un crotale sent un danger, par exemple un gros animal sur le point de lui marcher dessus, il émet un bruit de crécelle en faisant vibrer la « sonnette » de sa queue (voir page 25). Ainsi prévenu, l'animal s'écarte.

Un crotale qui se sent menacé se redresse et forme un S avec l'avant de son corps.

En même temps, il fait vibrer le bout de sa queue rapidement pour faire le plus de bruit possible.

Une fois le danger écarté, il baisse la tête, arrête de vibrer de la queue et se calme.

Un crotale sans sonnette

Le crotale sans sonnette est le seul qui n'a pas de sonnette. L'île de Santa Catalina, où il vit, est dépourvue de gros animaux, aussi n'a-t-il pas besoin de sonnette pour les avertir. Cela ne l'empêche pas de s'embusquer dans la végétation et d'attendre qu'un lézard ou un oiseau passent à portée de sa gueule.

Liens Internet

Clique sur les photos saisissantes de ce site en anglais pour admirer plusieurs espèces de serpents à sonnette.

Pour le lien vers ce site, connecte-toi à :
www.usborne-quicklinks.com/fr

 Fait : aux États-Unis, les crotales sont redoutés. En moyenne, ils ne tuent pourtant qu'une dizaine de personnes par an, moins que la foudre.

Un crotale mortel

Le très agressif crotale du Mojave est le plus venimeux des serpents à sonnette d'Amérique du Nord, presque deux fois plus que son rival le plus proche. Le venin d'une seule morsure pourrait tuer jusqu'à 15 000 souris.

Quelques espèces tropicales d'Amérique du Sud, comme le crotale des tropiques, sont encore plus dangereuses. On les a surnommées « casse-cou » car, chez l'homme, leur morsure peut provoquer l'ankylose des muscles du cou.

Le crotale du Mojave vit dans les régions rocailleuses et les déserts.

Une chasse impitoyable

Ces chasseurs s'apprêtent à injecter du gaz dans la tanière d'un crotale.

Dans certaines régions des États-Unis, les gens organisent des battues aux crotales. Ils injectent des produits chimiques dans les terriers pour les faire sortir, les capturent et les tuent. Mais ces produits sont très nocifs et tuent de nombreux autres animaux qui vivent dans le même habitat, comme les renards et les mouffettes.

Les serpents fouisseurs ....

Beaucoup de serpents s'enterrent ou creusent des galeries, et certains passent une grande partie de leur vie sous terre. On trouve de nombreux serpents fouisseurs parmi les serpents aveugles (typhlopidés) et les serpents filiformes (leptotyphlopidés).

Conçus pour creuser

Il paraît impensable de pouvoir creuser sans pattes. Les serpents fouisseurs ont pourtant développé des caractéristiques spéciales pour les y aider. Leur corps est parfaitement rond et leurs écailles sont lisses, ce qui facilite leur progression sous terre.

La tête dure

Le crâne des serpents fouisseurs est plus solide et plus lourd que celui des autres. C'est nécessaire pour se frayer un passage dans la terre.

Un crâne dur permet au serpent aveugle de creuser une galerie sans se blesser.

Tête ou queue

Certains serpents fouisseurs, comme les serpents aveugles, ont la tête de la même forme que la queue. Au premier coup d'œil, il n'est pas facile de faire la différence entre l'une et l'autre.

Peux-tu deviner où est la tête et où est la queue de ce serpent aveugle ?*

*La tête est au bas de l'image.

Ce serpent arc-en-ciel à la livrée luisante chasse des animaux fouisseurs pour se nourrir.

Des pilleurs de terriers

Certains serpents ne creusent pas leurs propres galeries. Ils se contentent d'emprunter celles des autres et chassent des petits animaux fouisseurs, comme des rongeurs, ainsi que d'autres serpents.

La vue basse

La plupart des serpents fouisseurs ont des yeux minuscules et rudimentaires. Leur vue est donc très mauvaise. Parfois, ils sont même complètement aveugles. Mais ils n'ont pas besoin d'une bonne vue, car sous terre, il fait noir. Pour trouver leur nourriture, ils se fient à leur odorat.

Fouisseurs à l'occasion

Enterrés, les œufs des serpents sont mieux protégés des prédateurs qu'ils ne le seraient en surface.

Les serpents de surface peuvent aussi parfois creuser. Par exemple, les serpents ratiers et les serpents-rois s'enterrent si la température devient trop élevée. D'autres, comme les serpents-taureaux, creusent des chambres souterraines pour pondre.

Avec ses yeux minuscules, ce leptotyphlops voit très mal.

Fait : certains serpents aveugles peuvent émettre une odeur qui empêche les fourmis qu'ils chassent de les piquer.

Les morsures ....

Chaque année, plusieurs milliers de
personnes sont mordues par des
serpents. Généralement, les serpents ne
sont pas agressifs envers l'homme, mais
ils frappent s'ils se sentent menacés.

En cas de morsure

Le fait d'être mordu par
un serpent ne signifie
pas que l'on va mourir.
De nombreux serpents
ne sont pas venimeux et
beaucoup ont un venin trop
faible pour menacer la vie d'un
être humain. Cependant, toutes
les morsures venimeuses quelles
qu'elles soient rendent malade
et vont nécessiter un
traitement médical.

Tous les ans, les
échides carénées,
comme celles-ci,
sont responsables
de nombreux
accidents mortels
chez l'homme.

Un avertissement douloureux

Un serpent venimeux qui mord un
homme n'injecte pas toujours du venin.
Entre chaque morsure venimeuse, il
doit en effet attendre assez longtemps.
Alors, plutôt que de gâcher son venin
sur un animal qu'il ne pourra pas
manger, il plante seulement ses
crochets en signe d'avertissement.

Guérir d'une morsure

Il existe une cinquantaine d'espèces de serpents dont le venin est potentiellement mortel pour l'homme. Soignée rapidement, une personne mordue survit généralement. Les scientifiques ont fabriqué des sérums antivenimeux à partir du venin des serpents. Administré rapidement, le sérum permet à la victime de guérir.

Le venin des serpents, ici une échide carénée, est prélevé dans un bocal. Plus tard, il servira à fabriquer un antivenin.

Différents traitements

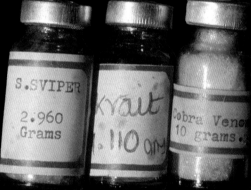

Les antivenins contenus dans ces fioles permettront de sauver la vie de gens mordus par des serpents.

Les venins de différents serpents contenant des poisons différents, les scientifiques ont développé différents sérums pour traiter toutes sortes de morsures. Si une personne est mordue, il faut donc absolument déterminer par quelle sorte de serpent, pour que le médecin administre le bon sérum.

Pour éviter d'être mordu

Bien sûr, il vaut mieux éviter d'être mordu. Nous t'indiquons ici quelques précautions à prendre lorsque tu marches dans un endroit où il risque d'y avoir des serpents :

• Laisse les serpents tranquilles. Si tu ne les déranges pas, ils ne te feront rien.

• Garde toujours les jambes couvertes et porte des chaussures pratiques. Évite de marcher dans l'herbe haute.

• Ne ramasse jamais un serpent, même s'il a l'air mort. Il se peut qu'il ne soit que blessé ou étourdi, ou qu'il « fasse le mort ».

Fait : environ 25 000 personnes meurent chaque année des suites d'une morsure de serpent.

Un avenir sombre .....

Beaucoup de gens craignent les serpents à cause de leur dangereuse réputation. En fait, ce sont les serpents qui ont davantage de raisons de craindre l'homme. Ils sont chassés pour leur peau, nombre de leurs habitats sont détruits et ils se font souvent écraser lorsqu'ils tentent de traverser les routes.

Des forêts menacées

Les forêts pluviales abritent de nombreux serpents, mais chaque année des millions d'arbres sont abattus pour le bois ou pour faire place à des cultures.

La destruction des habitats entraîne la disparition des proies et des cachettes des serpents. Incapables de parcourir de longues distances, ils ne peuvent se sauver et meurent en grand nombre.

L'abattage des arbres endommage gravement les habitats des serpents.

On ne trouve la vipère de Schweizer que sur quelques îles grecques, dont celle de Milos.

Le commerce des peaux

Plus d'un million de serpents sont tués chaque année pour leurs peaux qui servent à faire des sacs, des portefeuilles et des bottes. Certains pays, comme l'Inde, ont interdit l'exportation des peaux de façon à décourager la chasse.

Sac à main en peau de serpent orné d'une tête de cobra.

Des serpents en danger

Certaines espèces ont vu leur population chuter dramatiquement. Par exemple, il ne reste plus que 2 500 vipères de Schweizer. Elles ont beaucoup souffert de l'industrie minière, des feux de forêts et du trafic routier. Le gouvernement grec est fortement encouragé à protéger la vipère de Schweizer avant qu'elle ne s'éteigne.

Des routes meurtrières

De nombreux serpents sont écrasés sur les routes qui traversent souvent leurs habitats. Animaux lents, ils ne peuvent pas éviter les véhicules rapides.

Liens Internet

Découvre comment sauver les forêts menacées, ainsi que la faune et la flore qui l'habitent.

Pour le lien vers ce site, connecte-toi à :
www.usborne-quicklinks.com/fr

Fait : depuis 1800, la moitié de la superficie totale des forêts tropicales humides a été détruite.

55

Rites et légendes

Tête de la Méduse dans un musée de Rome, en Italie

Durant des millénaires, l'homme a considéré le serpent comme une créature mystérieuse, voire magique. Il a une place importante dans légendes et contes, rituels religieux et croyances anciennes.

Le temple aux serpents

Des vipères de Wagler venimeuses, comme celle-ci, vivent autour des piliers et des statues du temple aux serpents de Penang.

L'île de Penang, en Malaisie, abrite un temple bouddhiste particulier, qui est le refuge de mortelles vipères de Wagler. Il fut construit en 1850 en hommage à un prêtre très respecté qui s'occupait de serpents.

Les habitants racontent que le jour où le temple fut achevé, des serpents sortirent de la jungle et vinrent s'y installer. De nos jours, ce temple est devenu une attraction touristique, et des serpents sont capturés dans la nature pour qu'il reste bien garni.

Un monstre mythologique

Dans la mythologie grecque, la Méduse est un monstre dont les cheveux sont de véritables serpents. Si un homme jetait ne serait-ce qu'un simple coup d'œil à son visage, il était aussitôt transformé en pierre. Selon le mythe, la Méduse fut tuée par le héros Persée, qui trancha sa tête couverte de serpents.

Danser avec les serpents

Chez les Hopis, une tribu amérindienne, les serpents sont considérés comme des messagers des dieux. Autrefois, les Hopis se livraient à un rituel de neuf jours, durant lequel ils capturaient et lavaient des crotales. Le neuvième jour, ils dansaient en les tenant entre leurs lèvres, puis les relâchaient. Ce rituel devait leur assurer une bonne récolte et des pluies abondantes.

Cet homme est un Hopi en costume de cérémonie.

Les charmeurs de serpent

Charmer les serpents est un art ancien et dangereux. Le charmeur joue de la flûte en face d'un serpent, souvent un cobra au venin mortel. Il se balance, et le serpent semble suivre le mouvement, comme s'il bougeait en musique. Mais les serpents entendent mal, et le cobra ne suit l'instrument que parce qu'il se croit menacé.

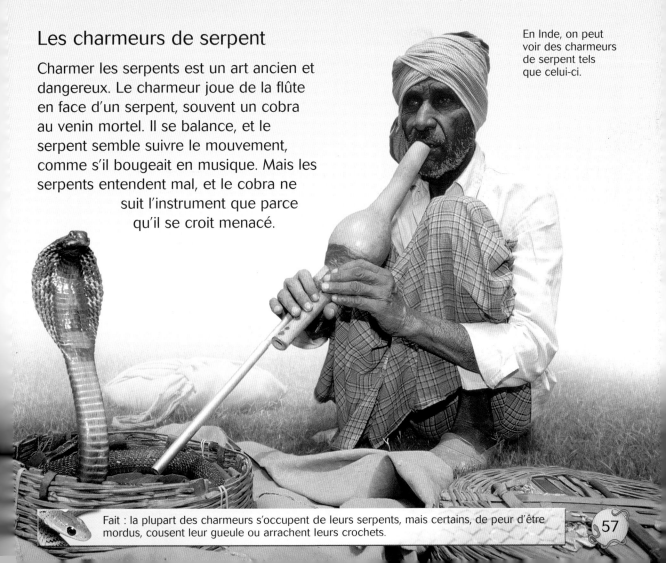

En Inde, on peut voir des charmeurs de serpent tels que celui-ci.

Fait : la plupart des charmeurs s'occupent de leurs serpents, mais certains, de peur d'être mordus, cousent leur gueule ou arrachent leurs crochets.

À propos des serpents ....

Les serpents sont des reptiles étonnants, et il y a beaucoup de choses à apprendre à leur sujet. Voici quelques faits fascinants pour te permettre d'en savoir plus.

𓆙 Ce mocassin à nez pointu est surnommé « le serpent des cent pas » car, selon les dires, une personne mordue ne peut faire que cent pas avant de tomber raide morte.

La mortelle vipère de Russell

Jeune cobra royal

𓆙 Dans certaines régions d'Asie, le cobra royal était jadis considéré comme le dieu du Soleil, qui contrôlait le temps. De nos jours, il est toujours très respecté et fait partie des cultes hindouiste et bouddhiste.

𓆙 Les morsures des bébés serpents sont tout aussi venimeuses que celles des adultes. En fait, comme les jeunes sont souvent plus agressifs que leurs parents, ils peuvent être particulièrement dangereux.

𓆙 La vipère de Russell est l'un des serpents les plus dangereux du monde. Chaque année, elle est responsable de la mort d'au moins 10 000 personnes.

𓆙 L'alsophis antiguae, une couleuvre, est l'un des serpents les plus rares. On ne le trouve que sur de petites îles au large des côtes d'Antigua, dans la mer des Caraïbes. Sa population sauvage est estimée à moins de 100 individus.

𓆙 L'habitude de sauter à presque 1 m de haut lorsqu'elle attaque a valu son nom à la vipère sauteuse d'Amérique centrale.

𓆙 Tous les serpents ont un estomac long et large. Mais chez certains, il occupe le tiers de la longueur du corps.

Tu as peut-être remarqué que les serpents ne clignent jamais des yeux. En fait, ils n'ont pas de paupières, mais leurs yeux sont protégés par une écaille transparente.

En Haïti, dans les Caraïbes, l'un des dieux les plus importants de la religion vaudoue est Damballa, un dieu-serpent qui vit dans les arbres.

La vipère du Gabon détient le record de longueur des crochets. Ils peuvent mesurer jusqu'à 5 cm de long.

Bien qu'invisible, une écaille de protection recouvre l'œil de ce serpent-jarretière.

Certains des tout premiers serpents ressemblaient beaucoup aux boas et pythons actuels. Ils vivaient sur la Terre il y a 100 millions d'années, alors que les dinosaures régnaient encore en maître sur notre planète.

En Australie, les Aborigènes mangent parfois des pythons. Pour les cuire, ils les enroulent et les recouvrent d'argile, puis les mettent sur un feu. Les pythons sont également mangés en Afrique et en Extrême-Orient.

Généralement, après un bon repas, les serpents peuvent jeûner pendant un mois. Mais certains gros serpents, tel l'anaconda, peuvent rester sans manger pendant plus d'un an.

Tu peux voir nettement les longs crochets dans la gueule de cette vipère du Gabon.

Glossaire

Certains mots utilisés dans le livre sont expliqués dans ce glossaire. Les termes qui figurent *en italique* ont leur propre définition dans cette liste.

accouplement Union d'un mâle et d'une femelle d'une espèce animale pour la *reproduction*.

aquatique Se dit d'un animal qui vit dans l'eau.

arboricole Se dit d'un animal qui vit dans les arbres.

battue aux serpents à sonnette Chasse organisée aux crotales.

boule nuptiale Groupe de serpents mâles entremêlés qui essaient tous de s'accoupler avec un petit nombre de femelles.

camouflage Marques sur le corps d'un animal qui lui servent à se fondre dans son *environnement* naturel. L'animal est ainsi difficile à repérer.

coiffe Membrane de peau recouvrant les côtes des cobras autour de la tête.

conservation Protection et préservation de notre *environnement*, ainsi que des plantes et des animaux qui y vivent.

constricteur Serpent qui étouffe sa proie dans ses anneaux avant de l'avaler.

crochet Longue dent très pointue. Les serpents se servent de leurs crochets pour injecter du *venin* à leurs proies.

dent de l'œuf Dent spéciale que possèdent certains bébés animaux pour les aider à sortir de leur coquille.

déplacement en accordéon Déplacement du corps en le rétractant puis en le détendant à nouveau. Les serpents peuvent se déplacer ainsi dans les tunnels.

déroulement latéral Mode de locomotion des serpents de désert, qui consiste à projeter une boucle formée par leur corps sur le côté.

éclore Naître en sortant d'un œuf.

environnement Espace naturel dans lequel vivent des plantes et des animaux.

espèce Type de plante ou d'animal.

espèce menacée *Espèce* animale ou végétale en danger de disparition ou d'*extinction*.

espèce protégée *Espèce* animale en danger d'*extinction* dont il est interdit de blesser ou de chasser les individus.

extinction Lorsque toute la population d'une *espèce* disparaît.

forêt pluviale Forêt humide et chaude située sous les *tropiques* ou l'équateur.

fossette thermosensible Zone située près de la gueule de certains serpents, qui leur sert à détecter les changements de température de l'*environnement*.

frapper Attaquer soudainement, en parlant d'un serpent.

habitat Lieu où vit un groupe de plantes ou d'animaux.

herpétologie Étude des reptiles.

hiberner Passer une longue période à dormir, généralement les rudes mois d'hiver.

immunisé Résistant à une maladie ou un poison, en général grâce à un vaccin.

incuber Garder des œufs à la bonne température pour que les bébés puissent se développer à l'intérieur.

migrer Faire un long voyage pour rechercher de la nourriture ou un *environnement* plus chaud.

ocelles Marques semblables à des yeux, comme celles que l'on trouve sur la tête des cobras.

ondulation latérale Manière de se déplacer en suivant une piste en S, comme le font la plupart des serpents.

organe de Jacobson Organe spécial situé dans le palais de certains animaux et qui sert à analyser les odeurs.

prédateur Animal qui se nourrit des animaux qu'il chasse.

progression rectiligne Déplacement en ligne droite.

proie Animal qui sert de nourriture à un *prédateur*.

reproduction Action de se reproduire, de faire des petits.

reptile Animal à *sang froid* et à la peau imperméable recouverte d'écailles.

sang chaud (animal à) Animal capable de produire sa propre chaleur corporelle, même s'il est dans un *environnement* froid.

sang froid (animal à) Animal dont la température corporelle varie avec son *environnement*. Les animaux à sang froid sont incapables de réguler leur propre température et doivent se mettre au soleil pour se réchauffer.

serpent à crochets arrière Serpent dont les *crochets* sont situés au fond de la gueule.

serpent à crochets frontaux Serpent dont les *crochets* sont situés à l'avant de la gueule.

sérum antivenimeux (antivenin) Traitement médical utilisé lorsqu'une personne est mordue par un serpent venimeux. Il annule les effets du *venin*.

sonnette Suite de vieilles écailles au bout de la queue d'un crotale, ou serpent à sonnette, qui, en vibrant, produisent un son de crécelle.

sperme Liquide qui contient les spermatozoïdes, les gamètes ou cellules reproductrices mâles.

suffoquer Étouffer, empêcher de respirer. Cette méthode est employée par certains serpents pour tuer leur proie.

tropiques Régions chaudes et humides situées de part et d'autre de l'équateur, la ligne imaginaire qui partage la Terre en deux moitiés.

venin Liquide empoisonné que certains serpents injectent à leurs *proie*s.

Utiliser Internet ....

Les informations et conseils donnés sur cette page te permettront de te connecter à Internet en sécurité et avec efficacité. Tu trouveras d'autres renseignements et astuces au début de l'ouvrage.

Le site Quicklinks d'Usborne

Pour accéder aux sites recommandés dans cet ouvrage, connecte-toi à notre site Quicklinks **www.usborne-quicklinks.com/fr** et suis les instructions. Tu y trouveras les liens directs aux sites que nous avons proposés et à certaines images du livre que tu peux télécharger gratuitement. Ces images te serviront pour illustrer tes devoirs scolaires ou pour compléter un projet personnel, mais il est interdit de les copier ou de les distribuer dans un but commercial.

Aide

Si tu as besoin d'aide ou de conseils sur l'utilisation d'Internet, clique sur « Besoin d'aide ? » sur notre site Quicklinks. Pour plus d'information sur comment utiliser ton navigateur de Web, clique sur le bouton « ? » de la barre de menu située dans la bordure supérieure de ton navigateur. Clique ensuite sur « Sommaire et index » pour accéder à la base de données de recherche qui contient de nombreuses informations utiles. Si tu recherches des renseignements précis, clique sur « Support en ligne » pour accéder au support technique en ligne de ton navigateur.

Les virus

Un virus est un petit programme capable de provoquer d'importants dégâts sur ton ordinateur. Tu peux involontairement introduire un virus sur ton ordinateur en téléchargeant sur Internet un programme infecté ou en ouvrant une pièce infectée jointe à un message électronique. Tu peux te procurer un logiciel antivirus dans un magasin d'informatique, ou tu peux en télécharger un sur Internet. Ils coûtent cher, mais moins cher que de réparer un ordinateur endommagé. Pour en savoir plus sur les virus, connecte-toi sur notre site Quicklinks et clique sur « Besoin d'aide ? ».

La sécurité sur Internet

Nous recommandons aux adultes d'encadrer les jeunes enfants lorsqu'ils utilisent Internet et de leur interdire l'accès aux salles de conversation (chat rooms).

Il arrive, exceptionnellement, qu'un site indésirable apparaisse sur l'écran simplement parce qu'une mauvaise adresse a été entrée. Pour éviter de telles erreurs, tu ne peux accéder aux sites Web proposés dans ce livre que via notre site Quicklinks.

Pour utiliser au mieux Internet, tu dois toujours suivre les conseils suivants :

- Vérifie auprès d'un adulte (un parent, un professeur ou le propriétaire de l'ordinateur) que tu es autorisé à te connecter à Internet. Il est préférable qu'un adulte reste à proximité.

- Si tu utilises un moteur de recherche pour chercher les sites, lis d'abord la description pour vérifier que tu as trouvé le site désiré avant de cliquer sur l'adresse.

- Si tu te trouves sur un site indésirable, clique sur le bouton « Arrêter » de ton navigateur pour arrêter le téléchargement, puis sur le bouton « Précédente » pour revenir à la page précédente.

- Ne divulgue jamais ton nom complet, ton adresse ou ton numéro de téléphone.

- Ne conviens jamais d'un rendez-vous avec une personne rencontrée sur Internet.

> Pour un accès facile et rapide à tous les sites recommandés dans ce livre, consulte :
> **www.usborne-quicklinks.com/fr**

Index

Remerciements ....

Tous les efforts ont été entrepris pour retrouver les propriétaires des copyrights du matériel utilisé dans ce livre. Si certains droits ont été omis, l'éditeur s'en excuse et rectifiera toute erreur lors de la réimpression dès qu'il en aura été informé. L'éditeur tient à remercier les organismes et les personnes suivantes pour leur permission de reproduire leur matériel (h=haut, m-milieu, b=bas, g=gauche, d=droite) :

Couverture © Joe McDonald/CORBIS ; p. 1 © Chris Mattison ; p. 2 © Michael & Patricia Fogden ; p. 4 (hg) © Chris Mattison, (m) © Steve Kaufman/CORBIS ; p. 5 (hg) © Michael & Patricia Fogden, (hd) © Michael & Patricia Fogden/CORBIS, (b) © Kevin Schafer/CORBIS ; pp. 6-7 (h) © Michael & Patricia Fogden/CORBIS ; p. 7 (bd) © The Purcell Team/CORBIS ; p. 8 (g) © Michael & Patricia Fogden/CORBIS, (hd) © Chris Mattison, (md) © Chris Mattison, (bd) © Chris Mattison ; p. 9 (h) © Steve Kaufman/CORBIS, (mg) © Chris Mattison ; p. 10 © Kennan Ward/CORBIS ; p. 11 © Carol Hughes/Bruce Coleman ; pp. 12-13 © Colin Varndell/Bruce Coleman ; p. 12 (h) © Chris Mattison, (m) © Chris Mattison, (b) © Christer Fredriksson/Bruce Coleman ; p. 13 © Joe McDonald/CORBIS ; p. 14 (h) © Chris Mattison, (mg) © Rod Patterson, Gallo Images/CORBIS ; p. 15 © Andrew Bannister, Gallo Images/CORBIS ; p. 16 (h) © Michael & Patricia Fogden, (b) © Michael & Patricia Fogden ; p. 17 © Michael & Patricia Fogden ; p. 18 (h) Ardea/Chris Harvey, (b) © Michael & Patricia Fogden ; p. 19 © Michael & Patricia Fogden/CORBIS ; pp. 20-21 Martin Wendler/NHPA ; p. 21 Fritz Polking/Still Pictures ; p. 22 © Michael & Patricia Fogden/CORBIS ; p. 23 (h) © Chris Mattison, (mg) © Michael & Patricia Fogden/CORBIS, (bd) © Chris Mattison, Frank Lane Picture Agency/CORBIS ; p. 24 © David A. Northcott/CORBIS ; p. 25 (h) © Digital Vision, (md) © George McCarthy/Bruce Coleman, (b) © Chris Mattison ; p. 26 Tony Phelps/BBC Natural History Unit ; p. 27 (h) Ardea/Adrian Warren, (b) © Chris Mattison ; p. 28 © Chris Mattison ; p. 29 (h) Brian Kenney/Planet Earth Pictures, (b) Anthony Bannister/NHPA ; pp. 30-31 Telegraph Colour Library/Brian Kenney ; p. 30 © Jeffrey L. Rotman/CORBIS ; p. 31 © Michael & Patricia Fogden ; p. 32 (h) © David A. Northcott/CORBIS, (b) © Joe McDonald/CORBIS ; p. 33 (h) © David A. Northcott/CORBIS, (b) © Chris Mattison/Frank Lane Picture Agency ; p. 34 © Michael & Patricia Fogden ; p. 35 (h) © Michael & Patricia Fogden, (b) © David A. Northcott/CORBIS ; pp. 36-37 (fond) © Michael Freeman/CORBIS ; p. 36 © Rod Patterson, Gallo Images/CORBIS ; p. 37 (h) © Michael & Patricia Fogden, (m) © Robert Gill, Papilio/CORBIS ; pp. 38-39 © Brandon D. Cole/CORBIS ; p. 39 © Stephen Frink/CORBIS ; p. 40 Joe McDonald/Bruce Coleman ; p. 41 © Joe McDonald/CORBIS ; p. 42 (d) © Michael & Patricia Fogden/CORBIS, (gm) © Terry Whittaker/Frank Lane Picture Agency ; p. 43 (h) © Michael & Patricia Fogden/CORBIS, (b) © John Cancalosi/Bruce Coleman ; p. 44 © George McCarthy/CORBIS ; p. 45 © David A. Northcott/CORBIS ; p. 46 © Joe McDonald/CORBIS ; p. 47 (h) Michael & Patricia Fogden/CORBIS, (b) © Michael & Patricia Fogden/CORBIS ; pp. 48-49 © David A. Northcott/CORBIS ; p. 48 © Chris Mattison ; p. 49 Jeff Foott/BBC Natural History Unit ; pp. 50-51 © Chris Mattison, (fond) © Michael & Patricia Fogden ; p. 50 © Michael & Patricia Fogden ; p. 51 © Michael & Patricia Fogden ; p. 52 © Jeffrey L. Rotman/CORBIS ; p. 53 (h) © Jeffrey L. Rotman/CORBIS, (m) © Jeffrey L. Rotman/CORBIS ; p. 54 Mark Edwards/Still Pictures ; p. 55 (h) © Chris Mattison, (b) Ardea/P. Morris ; p. 56 (h) © Joe McDonald/CORBIS, (g) © Araldo de Luca/CORBIS ; p. 57 (h) © CORBIS, (b) © Joe McDonald/ CORBIS ; pp. 58-59 © Joe McDonald/CORBIS, (fond) © Chris Mattison ; p. 58 (h) © Chris Mattison, (g) © Joe McDonald/CORBIS ; p. 59 © Joe McDonald/CORBIS.

Avec nos remerciements au spécialiste américain Rusty Gimpe.

Les éditions Usborne ont fait tous les efforts pour s'assurer que les documents sur les sites Internet proposés dans ce livre conviennent à l'objectif désiré. Nous ne pouvons cependant pas assumer la responsabilité, et nous ne sommes pas responsables, de tout site Internet autre que le nôtre. Nous ne pouvons non plus être responsables de la consultation de documents dangereux, agressifs ou inexacts qui apparaissent sur un site Internet. Nous recommandons que les enfants soient toujours surveillés lorsqu'ils consultent Internet.

Les éditions Usborne ne peuvent garantir que les sites Internet proposés dans ce livre et sur notre site Quicklinks sont permanents, ni que l'adresse indiquée est juste ou précise, ni que les informations données sur ces sites resteront telles que nous les avons décrites dans le livre. Les sites recommandés sur Quicklinks seront régulièrement revus et mis à jour. Si un site n'est plus accessible, nous le remplacerons, si possible, par un autre site.

Les éditions Usborne n'auront aucune responsabilité civile pour tout dommage ou perte provoqués par des virus qui auront pu être téléchargés en naviguant sur les sites que nous recommandons.